les meilleures SALADES de Maman Lapointe

Lucette Lapointe

Éditeurs:
LES ÉDITIONS LA PRESSE, LTÉE
7, rue Saint-Jacques
Montréal H2Y 1K9

Maquette de la couverture:
JEAN PROVENCHER

Illustrations:
MICHEL BERTRAND

1ère réimpression: 1975
2e réimpression: 1977
3e réimpression 1980

Dépôt légal:
BIBLIOTHÈQUE NATIONALE DU QUÉBEC
2e trimestre 1973

ISBN 0-7777-0044-1

Sommaire

Préface

On taxe parfois les salades d'ennuyeuses: parce qu'elles sont souvent, si souvent, synonymes de diète; parce que, jadis mixture d'herbes cueillies au petit hasard, elles étaient l'ordinaire des plus démunis. Et pourtant . . .

Pourtant, lorsque l'on sait les préparer, lorsque l'on y met couleur et piquant, les salades deviennent un plat recherché. Variées, colorées, décoratives même, entremets ou plat principal, elles offrent aussi l'avantage d'être bonnes au goût comme pour la santé. Alors, quoi de mieux?

Maman Lapointe

Conseils pratiques

1/2 tasse d'huile
2 c. soupe de Dijon
1/4 tasse vinaigre balsamique
1 pincée de sel
" " de poivre

TABLES DE CONVERSION

Mesures courantes

Système canadien	Système métrique
1 cuil. à thé	5 millilitres
1 cuil. à soupe	15 millilitres
4 cuil. à soupe (1/4 de tasse)	60 millilitres
5 1/3 cuil. à soupe (1/3 de tasse)	80 millilitres
8 cuil. à soupe (1/2 tasse)	120 millilitres
16 cuil. à soupe (1 tasse)	240 millilitres
1 once	29 grammes
1 livre	455 grammes
1 pinte	1.14 litre

Les agréments

Pour agrémenter vos salades

Muffins anglais

Trancher très minces des muffins anglais, les beurrer généreusement, les saupoudrer de Parmesan et les faire sécher au four quelques minutes à 375°F–400°F.

Pain croûté français

Si le pain est rassis, le passer rapidement en dessous du robinet pour le mouiller légèrement. Mettre au four chaud à 375°F pour quelques minutes. Le pain sortant du four aura regagné son goût.

Pain à l'ail

Couper un pain français en tranches d'environ ¾ de pouce d'epaisseur, sans traverser complètement le pain.

Écraser 2 à 3 gousses d'ail dans ¼ de tasse de beurre mou; ajouter un peu de sel. Beurrer généreusement un côté entre les tranches.

Bien placer le pain dans un papier d'aluminium et cuire quelques minutes dans un four chaud.

Et pourquoi ne pas préparer, avec vos salades, un plat d'assaisonnements variés comme les sauces que l'on sert avec la fameuse fondue bourguignonne.

Le choix peut être très vaste et le goût, allié à votre imagination, ajoutera un « brin de malice » à ce mets populaire.

L'agencement des couleurs en fera la beauté dans un plat à compartiments.

Choisir entre:

- Asperges
- Bacon cuit et émietté
- Câpres
- Champignons tranchés, frais ou marinés
- Ciboulette
- Cornichons tranchés
- Crevettes
- Croûtons à l'ail ou nature
- Échalotes hachées
- Filets d'anchois
- Oeufs râpés (jaune)
- Olives farcies tranchées
- Poivrons verts hachés
- Radis

Les garnitures

Suggestions

Pour vos garnitures de salades, nous suggérons:

- Aspics
- Boules de fromage entre moitiés d'olives farcies ou de noix de Grenoble
- Bouquetons de fromage
- Câpres
- Carottes en bâtonnets ou râpées
- Céleri
- Champignons (petits) cuits, crus ou marinés
- Concombres
- Cresson
- Filets d'anchois (pour dessaler, tremper dans du lait)
- Fromages Gruyère ou Parmesan râpés
- Noix
- Oignons tranchés en rondelles
- Oeufs cuits dur, râpés ou farcis
- Olives noires et olives vertes
- Persil
- Poivrons vert et poivrons rouges en rondelles
- Radis en fleurs ou accordéons
- Raisins
- Tomates (grosseur normale ou mini)

Carottes de fromage

Cheddar doux (« processed »), réchauffé à la température de la pièce

Persil frais

Prendre, par cuilleré à soupe, le fromage et rouler avec la paume de la main pour donner la forme d'une petite carotte.

Imiter le feuillage avec une petite branche de persil.

Garder au frais, bien couvert, pour garnir les salades.

Carottes frisées

Pour friser les carottes pelées, couper des tranches très fines sur la longueur à l'aide du couteau à pommes de terre.

Rouler les tranches et fixer avec un cure-dent.

Mettre au réfrigérateur dans l'eau froide et retirer le cure-dent avant de servir.

Cœurs de céleri

Diviser le pied de céleri en trois, une partie pour les cœurs, le centre pour les salades et le reste pour vos recettes cuisinées.

Pour le cœur de céleri, enlever les branches extérieures qui seraient fanées et la partie brunie du bout.

Diviser le cœur en quartiers, puis en tranches plus petites, en partant du haut et en incluant toujours une partie du cœur.

Placer dans de l'eau froide parfumée de quelques gouttes de jus de citron. Garder au réfrigérateur dans un récipient couvert (pas plus de deux jours sinon ils perdront leur saveur et goûteront l'eau).

On peut ajouter des croûtons, nature ou à l'ail, à presque toute laitue, à la vinaigrette, ne les ajoutant qu'au moment de servir.

Croûtons à l'ail (I)

Ecraser de l'ail dans du beurre (le pressoir est recommandé). Employer: 2 gousses d'ail pour ¼ tasse de beurre.

Beurrer des tranches de pain de ½ pouce d'épaisseur.

Couper les tranches en petits cubes.

Placer sur une tôle et brunir au four à 350°F, brassant occasionnellement, laisser refroidir.

Conserver dans un pot hermétique.

Ajouter à vos salades au moment de servir.

Se servir de ces croûtons seulement dans les salades préparées à la vinaigrette.

Croûtons à l'ail (II)

Mélanger ¼ de tasse de beurre avec 3 gousses d'ail pressé, ¼ c. à thé de sel et ½ c. à thé de thym.

Enlever la croûte de 6 tranches de pain, séparer en cubes de ½ pouce.

Fondre le mélange de beurre, ajouter des cubes de pain et cuire au four chaud (250°F) pendant 25 minutes les retournant complètement une fois; jaunir pour quelques minutes de plus. On peut préparer des bâtonnets de pain, genre grissini, en les passant dans le beurre préparé chaud et finir au four.

Croûtons à l'ail (III) ou nature

Couper le pain en cubes et frire à feu bas dans l'huile d'olive assaisonnée avec une gousse d'ail tranchée.

Omettre l'ail pour croûtons nature.

Garniture pour salade de fruits

1 tasse de jus d'ananas
¼ tasse de sucre
2 c. à table de farine
1 pincée de sel
2 œufs battus

Cuire au bain-marie jusqu'à épaississement.
Laisser refroidir.
Au moment de servir, ajouter 1 tasse de crème à 35%, fouettée.

Mousse pour assiette de fruits

1 paquet de gélatine aromatisée, limette ou autre.

Délayer selon les instructions sur le paquet en substituant toutefois le lait homogénéisé à l'eau froide.
Laisser prendre au réfrigérateur jusqu'à consistance de blanc d'œuf, à peu près 1 heure.
Battre au batteur pour bien mousser, remettre au froid pour 24 heures. Découper en carrés.

Radis accordéons

Choisir de beaux radis sur la longueur. Sans traverser complètement, couper en une dizaine de tranches fines.

Placer dans l'eau froide pour faire ouvrir, mettre au réfrigérateur pendant 5 à 6 heures.

Radis en fleurs

Enlever une petite calotte sur le dessus et autour du radis.

Couper, sans aller jusqu'au bout, 5 pétales en laissant un peu de rouge entre chacun. Placer dans l'eau froide, pour faire ouvrir; mettre au réfrigérateur pendant 5 à 6 heures.

Câpres marinées

Garder quelques jours les boutons de câprier ou de capucines. Les couvrir de vinaigre bouillant et les placer dans un pot lorsque refroidis. Bien couvrir. Ne seront pas prêts à manger avant 6 mois.

Combinaisons de salades

Fruits:
pommes, céleri, dattes, poires,
fromage à la crème, ananas, oranges,
ananas, cerises, céleri,
pamplemousses, oignon doux.

Poulet, dinde, veau:
œufs cuits durs, céleri,
câpres, poivron vert, carottes,
concombres, cornichons.

Poisson:
céleri, œufs cuits durs,
pois, poivrons verts.

Jambon:
œufs cuits durs,
ciboulette, pois.

Les herbes

Les herbes

Les herbes fraîches sont recommandées pour les salades, mais comme ce n'est le privilège que d'un petit nombre de pouvoir les cultiver, la plupart des herbes se vendent séchées. On se dépanne avec un pot « Herbes à salades ».

On peut aussi, presque l'année durant, se procurer, très frais, le persil, la ciboulette, le cresson et, en saison, la menthe, le thym, le fenouil, etc.

Il faut savoir dans quelles salades ajouter le « brin de malice »:

Aneth: dans les salades au chou, aux épinards.

Basilic: dans presque toutes les salades, tomates farcies.

Bouquet garni: comprend 1 portion de persil, ½ portion de marjolaine, ½ portion de thym, 1 feuille de laurier; délicieux dans les salades de betteraves, de pommes de terre.

Cari: pour une mayonnaise avec fruits de mer, poulet, légumes. Employer avec prudence.

Cerfeuil: dans toutes les salades auxquelles on ajoute du persil et sur tomates fraîches.

Ciboulette: dans les salades vertes, aux patates, aux œufs et au yogourt, fromage blanc.

Cumin: pour les œufs farcis.

Câpres: graines de capucines; dans toutes les salades salées.

Estragon: l'herbe des gourmets; dans les salades vertes, de poulet, de poisson et d'œufs. Une branche fraîche dans le vinaigre.

Marjolaine: fraîche ou séchée, elle donne de la saveur aux concombres, carottes ou tout légume un peu fade.

Menthe: dans la salade verte comme dans la salade de fruits; dans la salade de chou qui contient ananas ou jus.

Persil: en ajouter aux salades.

Les huiles aromatisées

Les huiles aromatisées

Dans la vinaigrette à la française, vous pouvez aromatiser l'huile à l'avance avec vos herbes préférées et la combiner avec le vinaigre ou le jus de citron au moment de vous en servir.

Au basilic

2 tasses d'huile d'olive
2 branches de basilic
3 gousses d'ail

Laver et faire sécher les branches de basilic et les placer dans le flacon.
Ecraser légèrement, avec les doigts, l'ail pelé et ajouter dans le flacon.
Ajouter l'huile.
Laisser macérer au moins deux semaines.

Aux échalotes

1 tasse d'huile d'olive
3 échalotes tranchées fines, saupoudrées de sel et de poivre
1 c. à table de jus de citron
1 feuille de laurier
2 clous de girofle

Aux échalotes tranchées fines et saupoudrées de sel et de poivre, ajouter le jus de citron puis les autres ingrédients.
Laisser macérer 2 semaines.

A l'estragon

2 tasses d'huile d'olive
½ bouquet d'estragon
Sel et poivre

Ne pas mettre d'ail qui enlèverait le bon goût de l'estragon.
Vous pouvez faire la même préparation avec de la ciboulette, du cerfeuil, ou du thym frais.

La laitue

Les catégories de laitue

Les mieux connues sont:

Escarole:	ferme, à douce saveur. Délicieuse avec des noix.
Romaine:	idéale pour les salades. De saveur délicate, il faut bien l'épicer.
Endive:	agréablement amère. Une favorite des gourmets.
Iceberg:	croustillante, elle se garde jusqu'à une semaine.
Bibb & Boston:	douces et tendres, elles ne se conservent pas plus que deux ou trois jours.
Chicorée:	un peu amère, elle rehausse le goût de la laitue ordinaire.
Pissenlit: (ou dent de lion)	comestible au printemps quand les feuilles sont bien tendres.

La préparation

La préparation

Toutes les verdures qui entrent dans vos salades doivent être bien lavées et absolument asséchées, sans quoi la vinaigrette, au lieu d'adhérer aux ingrédients et de leur donner du brillant, coulera au fond de votre bol.

Enlever avec les doigts les feuilles fanées ou molles, ouvrir la laitue et la placer dans un bol d'eau presque tiède pour quelques minutes.

Egoutter et secouer plusieurs fois; il se vend des ustensiles à cet usage. Placer les feuilles sur un tissu ou papier absorbant. La laitue pommée (« iceberg », « bibb », « Boston »), doit être lavée la tête en bas au-dessous du robinet. La « bibb » et la « Boston » ne se conservent pas plus que deux ou trois jours au réfrigérateur; l'iceberg se garde plus longtemps si l'on prend soin d'enlever les feuilles à mesure qu'elles jaunissent.

Une fois qu'elle est bien asséchée, placer la laitue dans un sac de plastique; ajouter une serviette de papier pour boire l'humidité. Toutes les laitues n'ont pas la même durée de consommation. Le persil et le cresson lavés et égouttés se conservent dans un bocal ou bol de plastique bien couvert: enlever une petite partie des tiges; dans le fond du récipient, placer une petite serviette de papier et la remplacer lorsqu'elle est imbibée s'il y a lieu. Gardées de cette façon, ces herbes se conserveront quelques semaines. Si vous ajoutez aussi des oignons et qu'ils sont trop forts, laissez-les tremper une heure à l'eau froide; égouttez-les bien.

Le bol à salade, préparé d'avance, peut attendre au réfrigérateur. Pour donner une saveur spéciale, frotter le bol à salade avec une gousse d'ail épluchée ou bien frotter le bout d'un pain français avec de l'ail, camoufler dans le centre du bol à salade et enlever la « tuque » avant de servir. N'ajouter la vinaigrette ou mayonnaise qu'au dernier moment excepté lorsque spécifié dans la recette.

Préparer tous les ingrédients sur un plateau, si vous aimez à les mélanger devant vos invités. Certaines salades doivent être assaisonnées à l'avance. Choisir un bol de bois, assez grand pour fatiguer avec facilité la salade. Vous servir de la cuillère et de la fourchette de bois.

Après chaque usage, rincer le bol de bois à l'eau froide et l'essuyer avec un linge bien sec. Il deviendra aromatisé et patiné à l'emploi. Pour les salades de poisson et les salades de fruits, il est préférable d'employer un bol de porcelaine, de verre ou de toute autre matière non poreuse.

Le secret de la salade en est le maniement. Ne pas écraser ni couper; casser gentiment, avec respect! Un mélange comprenant deux sortes de laitues est toujours meilleur.

Les salades

Les salades de fruits

Assiette de fruits en salade (I)

Rien de plus attrayant par une journée chaude et ensoleillée, que de servir à toute occasion une belle assiette de fruits (en conserve et frais) bien garnie.

Par personne, suggestions au choix:

1 tranche d'ananas
1 tranche de pomme, passée au jus de citron
1 moitié de poire
1 moitié de pêche
1 moitié d'abricot
1 tranche de cantaloup
1 tranche de melon
1 tranche de pamplemousse
1 tranche d'orange
Feuilles de laitue iceberg

Les cantaloups et melons sont très jolis en boules.

On peut ajouter du fromage à la crème ou Cottage.

Garnir de cerises, pruneaux, fraises ou framboises, bleuets, morceaux de bananes passés au citron et roulés dans la noix de coco, boules de beurre d'arachides (un complément succulent) roulées comme les bananes, petites grappes de raisin bleu ou vert.

Servir les fruits autour du fromage ou d'une mousse.

Aromatiser les fruits avec une tasse de crème fouettée mêlée au goût à un peu de mayonnaise.

Sucrer le mélange avec du sucre ou du miel; ajouter par cuillerée en garniture.

Si l'on veut, servir avec une mousse (voir page 17).

Assiette de fruits en salade (II)

Tranches d'avocats
Cerises
Fraises
Raisins
Oranges
Bananes
Melon de miel ou melon d'eau
Ananas
Jus de citron
Noix de coco
Feuilles de menthe

Dans un joli plat garni de feuilles de laitue, déposer des tranches d'avocats, cerises et fraises avec leur pédoncule, raisins frais, quartiers d'oranges, morceaux de bananes passés dans le jus de citron et roulés dans la noix de coco filamentée, cubes ou boules de melon de miel ou melon d'eau, ananas, etc.

Décorer de feuilles de menthe.

Chacun se fait sa salade!

Dans un saucier, servir une garniture à salade de fruits (voir page 17).

Barquette d'ananas

Couper un ananas en deux et le vider soigneusement.

Découper la pulpe en dés et lier avec de la crème à 15% parfumée d'un peu de sherry.

Mêler, au choix, avec homard, crevettes, langouste ou pétoncles cuits.

Verser le tout dans la coque de l'ananas.

Napper de sauce hollandaise (voir page 119), saupoudrer de fromage et mettre à gratiner sous le gril.

Cantaloup ou melon aux légumes

Séparer en deux et vider le centre du melon.

Le garnir.

Garniture:
Fonds d'artichauts cuits et coupés en dés
Champignons cuits et tranchés
Sel et poivre moulu
Jambon coupé très fin
Quelques tranches de radis

Servir avec mayonnaise de salade Arlequin.

Ce cantaloup ou melon aux légumes est une entrée très rafraîchissante et consistante.

Melon d'eau garni de salade de fruits

Couper la partie de dessus du melon sur la longueur et en retirer la chair pour en faire des boules.

Remplir avec des morceaux d'ananas frais, d'oranges, de fraises, de framboises, de bleuets, de bananes tranchées, de boules de cantaloup et de melon d'eau.

Arroser avec la sauce et garder au frais jusqu'au moment de servir.

Ce melon d'eau est aussi bon que décoratif!

Sauce:
3 c. à table de sirop de marasquin
3 c. à table de jus de citron
3 c. à table de jus d'orange
3 c. à table de jus de limette
⅓ tasse d'eau
⅔ tasse de sucre

Bien mélanger.

Salade de fruits flambée (I)

Les fruits suggérés sont:

Fruits frais:	oranges pamplemousses raisins
Fruits en conserve:	abricots ananas pêches poires

Couper en cubes des fruits frais et en conserve.

Ajouter 1 tasse de jus et ½ tasse de sucre brun.

Verser dans un plat que vous pouvez faire réchauffer sur le poêle ou, plus joliment, sur le réchaud de table.

Garnir de fraises fraîches ou ajouter des cerises au marasquin à votre mélange.

Quand le tout est bien réchauffé, ajouter ½ tasse de rhum ou ¼ de tasse de Kirsch réchauffé.

Verser sur les fruits et flamber immédiatement.

Salade de fruits flambée (II)

1 grosse boîte de salade de fruits
2 oranges coupées en dés
1 pamplemousse coupé en dés
½ tasse de jus de fruits de la boîte
½ tasse de sucre brun
Raisins frais

Mélanger et chauffer au four 10 minutes à 350°F avant de servir.

Verser dans votre bol à servir.

Chauffer ½ tasse de rhum blanc, verser sur le mélange et flamber.

Salade de poires

1 boîte de moitiés de poires
1 tasse de dattes hachées
1 tasse de pommes à peau rouge, coupées en cubes, non pelées
1 c. à thé de jus de citron
1 c. à thé de céleri haché
1 paquet de 6 onces de fromage à la crème

Bien égoutter les poires sans en garder le jus; les mettre de côté.

Hacher les dattes et le céleri.

Verser le jus de citron sur les pommes en cubes.

Mélanger les dattes, le céleri et les pommes au fromage à la crème.

Remplir la cavité du centre de la moitié de poire avec ce mélange.

Déposer chaque moitié sur une feuille de laitue et garnir de noix et cerises. Ajouter au goût, mayonnaise ou sauce à fruits.

Pour six à huit personnes.

Salade de pommes

2 tasses de pommes pelées et coupées en cubes
1 c. à thé de jus de citron
1 tasse de céleri haché assez fin
½ tasse d'oignon blanc, doux, râpé
Laitue

Arroser les pommes en cubes avec le jus de citron.

Ajouter le céleri haché et l'oignon râpé.

Ajouter la mayonnaise.

Préparer cette salade vite faite, peu de temps avant de servir.

Servir sur laitue pommée et décorer de noix de Grenoble hachées.

Salade hawaiienne

1 boîte (9 onces) d'ananas égouttés ou l'équivalent en ananas frais
1 tasse de céleri haché fin
1 tasse de beaux raisins frais
¼ de livre de petites guimauves ou de guimauves régulières coupées en quatre

Couper l'ananas en petits cubes; ajouter le céleri haché fin, les guimauves et le raisin.

Servir sur des feuilles de laitue avec assaisonnement pour salade de fruits.

Les salades de légumes

Salade Arlequin

1 tasse de chou rouge râpé
1 tasse de chou vert râpé
1 gros oignon blanc émincé

Mélanger:
½ tasse de mayonnaise
2 c. à thé de sucre
2 c. à table de vinaigre blanc
½ c. à thé de sel
½ c. à thé de graines de céleri

Verser sur le mélange de légumes.

Brasser délicatement.

Salade bela teresa

3 oignons blancs ou rouges tranchés très minces
1 poivron vert, haché fin
4 tomates bien mûres, en tranches
1 boîte de yogourt nature
Escarole
Ciboulette au goût
Sel et poivre du moulin

Laver et bien assécher l'escarole; enlever les grosses tiges

Echiffer l'escarole et ajouter les autres ingrédients.

Mélanger délicatement.

Salade d'aubergines

1 aubergine
1 c. à thé de jus de citron
1 tasse de céleri haché
1 échalote hachée fine
¼ tasse de noix de Grenoble, hachées
¼ tasse de vinaigrette
Mayonnaise
Laitue de Boston, bibb ou romaine

Peler et couper l'aubergine en cubes.

Cuire à l'eau bouillante salée avec le jus de citron.

Égoutter et laisser refroidir.

Ajouter le reste des ingrédients et servir sur des feuilles de laitue.

Garnir avec des tranches d'œufs durs.

Salade de betteraves (I)

3 tasses de betteraves bien cuites, tranchées minces
1 oignon blanc doux, moyen , tranché en anneaux détachés
1 petit concombre (facultatif) en tranches minces ou haché
Vinaigrette ou vinaigre légèrement sucré
Sel et poivre

Faire cuire les betteraves avec 2 pouces de queue pour les empêcher de blanchir; les peler pendant qu'elles sont chaudes.

Dans un plat, déposer les tranches de betteraves, de concombres et d'oignons.

Couvrir de vinaigrette et laisser mariner quelques heures.

Égoutter pour servir.

Garnir de persil haché.

Salade de betteraves (II)

1 livre de betteraves cuites
2 gros oignons espagnols

Tailler les betteraves et les oignons en bâtons.

Mariner 30 minutes dans de l'huile et du vinaigre assaisonnés de sel et de poivre.

Égoutter et mélanger dans la sauce.

Décorer vos assiettes de persil.

Sauce:
½ c. à thé de moutarde en poudre
¾ tasse de crème à 15%
Jus de ½ citron
Sel et poivre

Délayer la moutarde dans le reste des ingrédients.

Salade de carottes

4 carottes râpées fines
1 oignon blanc en anneaux minces
Laitue

Garder les rondelles d'oignons dans l'eau froide.

Cuire les carottes râpées dans de l'eau bouillante à laquelle a été ajoutée 1 c. à thé de sel, pour 3 minutes seulement; égoutter. Il est important de ne pas cuire plus longtemps.

Bien égoutter les rondelles d'oignons.

Placer les légumes dans le bol à salade et ajouter la vinaigrette.

Garder bien au frais.

Servir sur des feuilles de laitue.

Pour 4 personnes.

Vinaigrette:

⅓ tasse d'huile à salade
¼ tasse de vinaigre blanc
1 gousse d'ail
1 c. à thé de sel
1 pincée de poivre noir
1 pincée d'orégano

Combiner tous les ingrédients de la vinaigrette.

Salade de céleri rave

1 céleri rave
3 onces de noix de Grenoble
3 bananes, pas trop mûres
6 c. à table d'huile d'olive
2 c. à table de vinaigre
1 c. à thé de moutarde préparée
2 c. à soupe de crème à 35%
Sel et poivre au goût

Mélanger l'huile, le vinaigre, la moutarde, la crème, le sel et le poivre.

Ajouter le céleri rave coupé en tranches fines ainsi que les bananes tranchées.

Décorer avec des noix.

Salade de champignons (I)

1 livre de champignons blancs, frais, crus
½ tasse de vinaigrette
1 c. à soupe de ciboulette coupée fine

Couper les champignons en tranches minces.

Combiner avec la vinaigrette et la ciboulette.

Mêler et disposer sur des feuilles de laitue légèrement salées.

Salade de champignons (II)

Champignons crus
Vinaigrette à la moutarde
Ketchup aux tomates
Noix de Grenoble
Carottes râpées en lamelles très fines
Vinaigrette.

Laver les champignons, les égoutter et les couper en quatre s'ils sont de grosseur régulière.

Préparer une vinaigrette à la moutarde; ajouter du ketchup aux tomates et des noix de Grenoble.

Mélanger aux champignons.

Servir séparément avec des carottes râpées en lamelles très fines et assaisonnées de vinaigrette.

Salade de chou

5 tasses de chou râpé en fines lamelles
¼ tasse de carottes râpées
¼ tasse de poivron vert
1 échalote hachée
1 c. à thé de sel
¼ c. à thé de poivre

Combiner le chou râpé en lamelles, les carottes râpées et le poivron vert en fins rubans dans le bol à salade, ainsi que l'échalote.

Combiner la vinaigrette pour salade de chou (voir page 124) et verser sur le mélange de légumes.

Garder au frais jusqu'au moment de servir.

Salade de cœurs de palmiers

1 boîte de cœurs de palmiers
½ tasse de fromage Roquefort
Vinaigrette

Égoutter les cœurs de palmiers et couper en troncons de ½ pouce.

Bien écraser le fromage et ajouter la vinaigrette graduellement jusqu'à ce que bien amalgamé.

Saler et poivrer au moulin.

Salade de concombres (I)

1 concombre
Crème sure ou yogourt
Ciboulette
Paprika
Sel et poivre du moulin

Trancher un concombre en tranches minces et saler légèrement.

Couvrir et laisser dégorger pour au moins une heure pour les rendre plus digestifs.

Égoutter et garnir de crème sure ou de yogourt.

Parsemer de ciboulette coupée aux ciseaux et saupoudrer de paprika.

Saler et poivrer au moulin.

Salade de concombres (II)

1 tasse de yogourt
1 gousse d'ail écrasé
1 c. à table de feuille de menthe hachée très fine
3 concombres moyens avec la pelure
Sel et poivre du moulin

Combiner le yogourt, l'ail et la menthe.

Trancher les concombres en tranches minces, mêler délicatement avec le premier mélange.

Saler et poivrer.

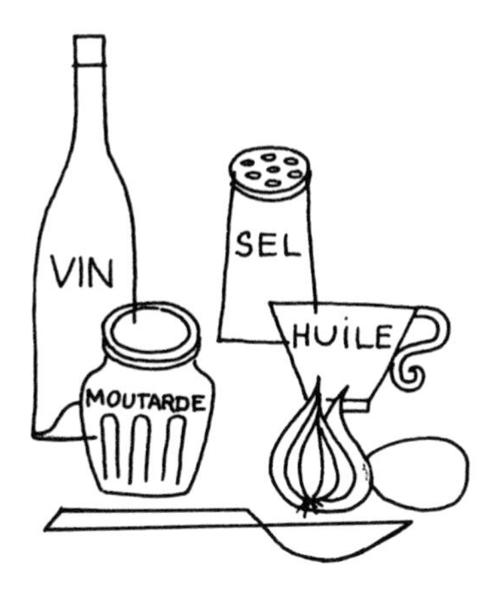

Salade de concombres (III)

4 concombres
1 c. à thé de sel
1 oignon blanc moyen
4 c. à table de vinaigre de cidre
¼ c. à thé de poivre
½ tasse de sucre blanc
¾ tasse de yogourt

Peler les concombres et les couper en tranches fines; faire de même avec l'oignon blanc.

Faire alterner l'oignon avec le concombre et saupoudrer d'une cuillerée à thé de sel.

Couvrir et laisser macérer deux heures.

Égoutter; ajouter le vinaigre, le sucre, le poivre et le yogourt.

Bien mélanger.

Salade de concombres (IV)

2 gros concombres
1 gros oignon blanc, doux
½ tasse d'eau
½ tasse de vinaigre
1 c. à thé de sel
2 c. à table de sucre

Faire bouillir l'eau, le vinaigre, le sel et le sucre pendant 3 minutes.

Trancher les concombres et l'oignon blanc en tranches fines.

Verser le sirop sur les concombres et les oignons superposés.

Garder au réfrigérateur jusqu'au moment de servir.

Salade de concombres et de tomates

4 beaux concombres
2 c. à soupe de vinaigre de vin
5 c. à soupe d'huile d'olive
Ciboulette
Cerfeuil ou persil frais
Poivre et sel

Bien peler les concombres, les fendre dans le sens de la longueur, en enlever les pépins, puis les émincer très fins; les mettre ensuite dans un bol, les saler et les tenir au frais pendant deux heures. (Ceci a pour but de faire sortir une partie de l'eau et de rendre les concombres plus digestibles.)

Deux heures plus tard, presser légèrement les concombres afin d'en éliminer l'eau.

Assaisonner avec le vinaigre de vin, l'huile d'olive, la ciboulette, le cerfeuil ou persil et le poivre du moulin.

Décorer avec quartiers de tomates et quelques rondelles d'œufs durs.

Servir frais.

Salade d'endives et de betteraves (I)

1 boîte de betteraves cuites
6 belles endives
Vinaigrette

Égoutter et trancher les betteraves; les recouvrir d'une demi-tasse de vinaigrette.

Trancher les endives bien lavées et essuyées en tranches de ½ pouce; ajouter à ⅓ de tasse de vinaigrette aromatisée à l'estragon.

Saler et poivrer au moulin.

Cette salade se mêle au moment de servir pour empêcher que le tout ne prenne une couleur uniforme.

Salade d'endives et de betteraves (II)

6 endives
12 c. à soupe de betteraves cuites, hachées
Ciboulette
Vinaigrette

Laver et assécher les endives, couper en languettes d'un pouce; ajouter aux betteraves.

Couper de la ciboulette.

Mélanger et arroser de vinaigrette.

Salade Denise

1 livre d'épinards frais
1 oignon blanc
1 avocat bien à point
Jus de citron
Huile tournesol, ou autre huile légère

Laver et assécher soigneusement les épinards; enlever les tiges et toute partie dure; déchirer avec les doigts.

Trancher l'oignon en tranches minces et défaire en rondelles.

Peler l'avocat, enlever le noyau et découper en tranches très minces.

Au moment de servir, arroser de jus de citron mélangé à l'huile et poivrer au moulin.

Mélanger délicatement.

Salade d'épinards

1 livre d'épinards frais
¼ tasse de vinaigrette
Sel et poivre du moulin

Laver et équeuter les épinards; cuire 1 minute à l'eau bouillante salée. Bien égoutter.

Refroidir et assaisonner à la vinaigrette.

Salade de fèves chinoises germées

Fèves chinoises fraîches, en paquet
Vinaigrette
Blanc de poulet cuit

Laver les fèves germées dans une passoire et bien les égoutter.

Frotter un bol avec de l'ail; ajouter la quantité de fèves désirées, bien sèches, puis ajouter la vinaigrette et le blanc de poulet émincé.

Préparer au moins deux heures avant de servir.

Très bonne entrée.

Salade de haricots

1 boîte (14 onces) de haricots verts
1 boîte (14 onces) de haricots jaunes
½ tasse de céleri haché
½ tasse de carottes râpées
2 c. à table d'oignon haché
¼ tasse de cornichons à l'aneth
¼ tasse d'huile à salade
¼ tasse de jus de citron
1 gousse d'ail écrasée
½ c. à thé de sel
¼ c. à thé de poivre
¼ c. à thé de moutarde sèche
⅛ c. à thé de paprika
1 œuf dur haché

Combiner les légumes bien égouttés et les cornichons hachés.

Mélanger l'huile, le jus de citron et les autres assaisonnements; verser sur les légumes.

Brasser délicatement et garder au réfrigérateur de 2 à 4 heures.

Décorer avec l'œuf râpé.

Pour 6 à 8 personnes.

Salade de persil

1 bon bouquet de persil frais
3 œufs cuits durs
2 tomates
2 c. à table d'oignon blanc haché fin
1 gousse d'ail
Sel, poivre

Laver et bien égoutter le persil; en enlever les tiges et le mettre, bien asséché, dans le réfrigérateur.

Au moment de servir, défaire avec les doigts en petits bouquets.

Couper les tomates en morceaux d'un pouce.

Ajouter l'oignon, l'ail, les œufs hachés à la vinaigrette. Bien brasser et verser sur le persil et les tomates.

Fatiguer délicatement le mélange.

Salade de radis

1 botte de radis
½ tasse de céleri
6 c. à soupe d'huile d'olive
1 c. à soupe de jus de citron
Persil
Sel, poivre

Dans un saladier, trancher les radis en tranches très fines.

Ajouter du céleri et du persil hachés.

Mélanger l'huile au jus de citron, ajouter aux légumes.

Servir sur des feuilles de laitue.

Garnir d'olives vertes.

Salade Margot

1 boîte de haricots jaunes frais ou en conserve
½ oignon blanc râpé
3 pommes de terre cuites
Estragon
Vinaigrette

Cuires les pommes de terre à l'eau légèrement salée et citronnée pour les garder blanches.

Égoutter les haricots et ajouter l'oignon râpé puis les pommes de terre coupées en dés.

Ajouter de la vinaigrette et de l'estragon au goût.

Salade Vendôme

½ livre de haricots verts frais et jaunes
3 pommes de terre (grosseur moyenne)
6 fonds d'artichauts frais ou en boîte
3 onces de crème à 35% ou de yogourt
4 c. à table d'estragon frais, haché
Sel et poivre du moulin

Cuire les haricots à l'eau bouillante salée, à découvert durant 15 minutes.

Cuire les pommes de terre avec leur peau; les égoutter, les peler et les couper en dés.

Couper les fonds d'artichauts de la même façon.

Mélanger les haricots bien égouttés et coupés; les ajouter aux pommes de terre et aux haricots.

Ajouter l'estragon à la crème, saler et poivrer.

Mélanger le tout délicatement.

Aubergines à la canadienne

1 aubergine épluchée
1 gousse d'ail
Oignons blancs
Piment vert
Tomates fraîches
Sel et poivre
Beurre et persil
Fromage

Couper l'aubergine en tranches de ⅓ de pouce, frotter à l'ail et y placer 1 tranche d'oignon, 1 tranche de piment vert vidé, 1 tranche de tomate.

Saler, poivrer et garnir d'un bon morceau de beurre et de fromage.

Cuire sur une tôle beurrée 30 minutes au four à 350°F.

Servir chaud.

Tomates en panier

Ôter une partie des tomates en laissant une anse comme garniture.

Conserver la chair pour les soupes, les sauces, les pâtés, etc.

Vider la tomate avec un couteau à pamplemousse.

Remplir d'une macédoine de légumes ou de poisson assaisonnée à la mayonnaise. Câpres (facultatif).

Déposer sur des feuilles de laitue.

Râper fin des œufs durs pour en entourer la tomate sur la laitue.

Garnir d'une olive noire.

Tomates garnies de salade aux œufs

6 tomates
6 œufs cuits durs
½ tasse de céleri haché fin
¼ tasse de piment vert haché fin
1 échalote
½ c. à thé de moutarde sèche
Sel, poivre et mayonnaise

Enlever la calotte des tomates, les vider et les retourner pour 15 minutes.

Couper les tomates en côtes sans traverser complètement.

Remplir de la salade aux œufs (voir page 90).

Servir sur feuille de laitue.

Les salades de poisson

Salade à la grecque

Laitue
Sardines sans arêtes
Fromage Feta
Vinaigrette

Laver et assécher la laitue.

Couper des sardines (enlever la queue et la tête) pour la quantité désirée.

Mélanger avec de la vinaigrette et ajouter du fromage Feta râpé ou en languettes.

Mélanger à la laitue déchirée et servir.

Salade aux anchois

1 boîte de filets d'anchois (garder l'huile)
1 c. à table de jus de citron
1 tomate
2 œufs cuits durs
Paprika

Couvrir les anchois avec le jus de citron et saupoudrer de paprika.

Laisser reposer une couple d'heures.

Placer des tranches de tomates et d'œufs cuits durs sur des feuilles de laitue.

Ajouter les filets d'anchois avec l'huile et le jus de citron.

Décorer de persil haché. Pour 4 personnes.

Salade César aux anchois

4 filets d'anchois (ou sardines sans peau ni arêtes)
1 grosse tête de laitue romaine
½ tasse d'huile d'olive
1 gousse d'ail écrasée
4 gouttes de sauce Worcestershire
1 tasse de croûtons bien secs
1 c. à soupe de jus de citron
1 jaune d'œuf
2 c. à soupe de fromage Parmesan râpé

Couper en petits morceaux les filets d'anchois; dans votre bol à salade, y ajouter l'ail, la sauce Worcestershire et les croûtons écrasés grossièrement.

Bien mélanger en écrasant.

Ajouter le jus de citron et le jaune d'œuf; bien mêler.

Ajouter l'huile lentement comme un filet, en brassant sans arrêt.

Plier les feuilles de laitue romaine sur la longueur et enlever « l'épine dorsale ». Déchirer les feuilles avec les doigts après les avoir bien lavées. Égoutter et bien assécher sur une serviette.

Ajouter au mélange au moment de servir.

Ajouter d'autres croûtons au goût et fatiguer délicatement la salade.

Salade de crabe

1 boîte de crabe déchiqueté
1 tasse de céleri haché
Mayonnaise

Mélanger le crabe et le céleri; ajouter la mayonnaise.

Très jolie servie dans des moitiés d'avocats sur une feuille de laitue.

Salade d'endives et de crevettes

2 grosses endives
½ tasse de céleri
1 boîte de petites crevettes
¼ tasse de mayonnaise
Laitue
Persil frais

Trancher les endives, hacher le céleri et égoutter les crevettes.

Mélanger avec la mayonnaise et assaisonner au goût.

Servir sur des feuilles de laitue.

Décorer de persil frais.

Salade de fruits de mer (I)

1 livre de poisson cuit
2 œufs cuits durs
1 tasse de petites crevettes
1 tasse de mayonnaise
¼ tasse de cornichons sucrés, hachés

Enlever la peau et les arêtes du poisson et le défaire.

Hacher les œufs, ajouter au poisson et aux crevettes.

Mélanger à ⅔ de tasse de mayonnaise mêlée aux cornichons hachés.

Tasser dans un bol et démouler sur des feuilles de laitue.

Décorer avec le reste de la mayonnaise, des olives farcies tranchées et des câpres (facultatif).

Salade de fruits de mer (II)

2 tasses de poisson cuit
½ c. à thé de sel
2 œufs cuits durs
1 tasse de pommes de terre cuites
1 tasse d'oignon blanc doux, coupé en tranches fines
1 tasse de céleri coupé finement
½ tasse de poivron vert (facultatif)
Poivre
Mayonnaise au goût

Ajouter au poisson du sel et du poivre au goût.

Ajouter les œufs hachés et les légumes; bien mélanger.

N'ajouter la mayonnaise qu'au moment de servir sur feuilles de laitue.

Salade de homard (I)

1 boîte de homard (5 onces ou plus)
½ tasse de céleri haché
½ tasse de pois fins, en conserve
Sel et poivre
Mayonnaise

Combiner le homard égoutté avec le céleri haché; garder les pinces pour la garniture.

Mariner le homard et le céleri 1 heure dans la vinaigrette; bien égoutter.

Ajouter la mayonnaise au moment de servir sur des feuilles de laitue.

Garder les pinces pour décorer.

Garnir d'œufs cuits durs, de pois fins, de tomates en tranches, d'olives et de persil.

Pour 2 personnes.

Salade de homard (II)

1 boîte de homard (5 onces ou plus)
½ tasse de pommes coupées en dés
½ tasse de céleri haché
½ tasse d'ananas frais coupé en dés
Sel et poivre

Combiner le tout et ajouter une sauce vinaigrette ou mayonnaise au choix.

Pour 4 personnes.

Salade de sardines

Sardines en boîte, sans arêtes ni peau
Oeufs cuits durs
Laitue
Mayonnaise

Faire alterner les sardines avec les tranches d'œufs cuits durs sur des feuilles de laitue.

Garnir avec de la mayonnaise.

Salade de saumon

1 boîte de saumon ou 1 livre de saumon frais cuit au court bouillon
3 œufs cuits durs
1 tasse de céleri haché fin
Mayonnaise
Olives, concombres, tomates, laitue, persil

Égoutter l'huile du saumon, enlever la peau et les arêtes.

Défaire à la fourchette et ajouter les autres ingrédients.

Servir sur des feuilles de laitue pommée; garnir d'olives, de concombres, de tomates et de persil.

Salade de saumon et de pommes

2 tasses de pommes
2 tasses de saumon cuit
1 tasse de céleri haché
2 c. à table de jus de citron

Défaire le saumon; le couper en cubes si possible.

Peler et couper les pommes en cubes; les couvrir immédiatement avec le jus de citron pour les empêcher de brunir.

Mélanger le tout et ajouter de la mayonnaise.

Servir sur des feuilles de laitue.

Décorer de persil, d'olives farcies, de câpres.

Salade de thon

1 boîte de thon égoutté et déchiqueté
4 pommes de terre (grosseur moyenne)
1 petit oignon blanc
¼ de pied de céleri
1 laitue

Faire cuire les pommes de terre avec la pelure dans une eau légèrement salée.

Eplucher et laver tous les légumes.

Couper le céleri en petits morceaux, les pommes de terre pelées et refroidies en cubes.

Hacher l'oignon et le persil; déchiqueter la laitue en chiffonade, c'est-à-dire avec les doigts, jamais avec un couteau.

Mélanger le tout et ajouter la sauce.

Couvrir et laisser reposer une heure au réfrigérateur avant de servir.

Sauce:
4 c. à soupe de crème épaisse
1 c. à thé de moutarde en poudre
1 c. à soupe de sucre
1 c. à soupe de vinaigre blanc
Persil haché
Sel et poivre

Mélanger la crème épaisse, la moutarde, le sucre et le vinaigre.

Saler et poivrer.

Battre au batteur pour obtenir une mousse légère.

Verser sur le mélange de salade et remuer délicatement.

Salade « roll mops »

3 pommes de terre (grosseur moyenne)
3 œufs cuits durs
2 tasses de céleri haché ou 1 fenouil
1 boîte de filets de « roll mops »
1 tasse de petits oignons blancs au vinaigre
1 carotte (grosseur moyenne) râpée
¼ livre de fromage Gruyère ou Emmenthal
1 tasse ou plus de mayonnaise

Couper en cubes les pommes de terre cuites.

Ajouter le céleri ou le fenouil haché, la carotte râpée, les œufs durs tranchés et les filets de « roll mops ».

Ajouter la mayonnaise et décorer de fromage râpé en fines lamelles et de persil haché fin.

Les salades de pommes de terre

Salade à l'italienne

3 pommes de terre (grosseur moyenne)
3 œufs cuits durs, hachés
2 tomates en quartiers
½ tasse de radis tranchés très minces
6 cornichons surs, coupés en tranches fines
12 olives farcies tranchées

Cuire les pommes de terre à l'eau assaisonnée de sel. Les cuire un peu plus qu'à l'ordinaire et les couper en cubes lorsqu'elles sont encore chaudes. Les ajouter, encore chaudes, au reste des ingrédients.

Bien brasser avec la cuillère et la fourchette à salade de façon à défaire les pommes de terre.

Ajouter la vinaigrette et les assaisonnements.

Cette salade a une apparence de macédoine.

Salade de pommes de terre

4 tasses de pommes de terre cuites,
 en cubes ou en tranches
½ tasse de céleri haché
2 œufs cuits durs hachés
½ tasse de mayonnaise
1 ou 2 échalotes hachées fines
1 c. à thé de sel
3 c. à table de vinaigrette
 Paprika et persil frais pour garnir

Mélanger tous ces ingrédients en évitant de briser les pommes de terre.

Garnir de persil frais et de paprika.

La salade peut être chaude ou froide.

Salade de pommes de terre et de cresson

3 bouquets de cresson
5 pommes de terre bouillies
1 échalote
2 c. à table de vinaigre
5 c. à table d'huile
1 c. à thé de sucre
1 pincée de poivre rouge
Sel et poivre

Laver le cresson à l'eau courante en dessous du robinet.

Égoutter et sécher.

Couper les pommes de terre cuites en tranches minces et l'échalote très fine.

Mélanger le vinaigre, l'huile, le sucre, le poivre rouge, le sel et le poivre.

Ajouter les pommes de terre et le cresson.

Mêler délicatement.

Salade de pommes de terre nouvelles (I)

Pommes de terre nouvelles cuites, coupées en dés
Piment vert haché
Céleri haché
Carottes râpées
Sel, poivre, paprika

Mélanger les légumes avec de la mayonnaise, du sel, du poivre et du cari.

Servir sur des feuilles de laitue.

Décorer de cresson.

Salade de pommes de terre nouvelles (II)

4 tasses de pommes de terre nouvelles
1 poivron vert coupé fin
1 tasse de céleri coupé fin
½ tasse de carottes râpées (facultatif)
1 échalote hachée
Mayonnaise
Sel et poivre du moulin
Comme « brin de malice », un peu de cari

Cuire les pommes de terre avec la pelure; les peler après la cuisson.

Ajouter les autres ingrédients y compris la mayonnaise.

Placer dans un bol en tassant légèrement.

Démouler pour servir sur un nid de laitue.

Décorer autour de tomates, d'œufs farcis (facultatif), d'olives noires ou vertes et saupoudrer de paprika.

Les salades de riz

Salade de riz (I)

1 tasse de riz
¼ tasse de piment rouge, doux,
coupé en dés
¼ tasse d'échalotes
½ tasse de céleri coupé en dés
¼ tasse d'olives farcies
½ tasse de mayonnaise
½ tasse de crème sure
½ c. à thé de sel
1 c. à table de vinaigre blanc
Poivre

Cuire le riz à l'eau bouillante salée selon les indications de la boîte, jusqu'à ce qu'il soit tendre; l'égoutter et le laisser refroidir.

Ajouter les légumes et mêler.

Mélanger le reste des ingrédients et verser sur le riz.

Mêler délicatement et réfrigérer.

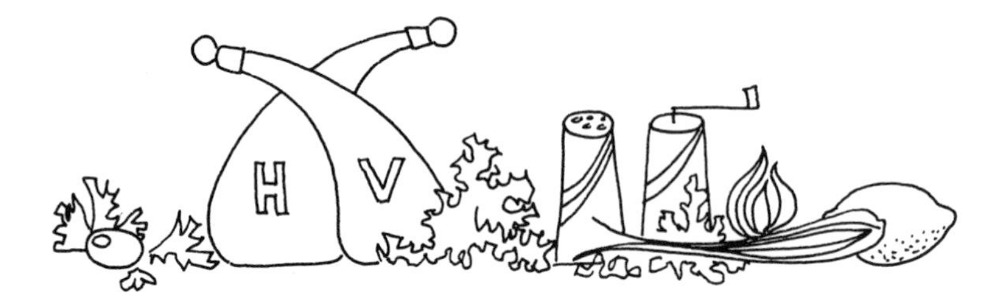

Salade de riz (II)

½ tasse de riz non cuit
5 c. à table de vinaigrette
½ tasse de céleri haché
¼ tasse de poivron vert
10 olives noires dénoyautées
1 tomate pelée et tranchée
2 c. à table de piment rouge, doux, haché
¼ c. à thé de basilic
⅛ c. à thé de muscade

Faire cuire le riz selon les indications de la boîte.

Égoutter et mélanger avec les autres ingrédients.

Servir froid.

Pour 4 personnes.

Salade de riz (III)

½ livre de riz à long grain
1 boîte de saumon rose ou de thon
¼ de pied de céleri
4 onces de crevettes
Sel, poivre

Cuire le riz, l'égoutter et le laisser refroidir.

Égoutter le poisson et le défaire en morceaux.

Couper le céleri en dés, l'ajouter au riz refroidi et verser dans le plat à salade.

Arroser de sauce pour salade de riz (voir page 121).

Salade de riz aux champignons

2 tasses de riz à long grain, minute
½ livre de champignons frais
1 gousse d'ail
½ tasse de persil frais, haché
3 c. à soupe de beurre

Cuire le riz selon les instructions de la boîte.

Durant ce temps, faire revenir dans le beurre les champignons en tranches fines, ajouter l'ail et le persil et mêler au riz cuit.

Saler et poivrer.

Servir chaude.

Manière rapide et facile pour préparer une délicieuse entrée!

Salade de riz, rose

½ livre de riz à long grain
1 boîte de saumon rose (15 onces)
  ou 1 livre de saumon frais, cuit
1 tasse de céleri haché
1 tasse de crevettes décortiquées

Cuire le riz suivant les instructions du paquet et le laisser refroidir.

Égoutter le saumon et l'effeuiller.

Mélanger le tout.

Arroser de sauce pour salade de riz (voir page 121).

Les salades variété

Salade aux œufs

6 œufs cuits durs
1 tasse de céleri haché fin
1 piment vert haché fin
1 échalote
½ c. à thé de moutarde sèche
Sel et poivre
Mayonnaise
Laitue pommée

Hacher les œufs durs; ajouter le céleri et le poivron vert.

Mélanger l'échalote avec la mayonnaise et les assaisonnements; ajouter au mélange d'œufs.

Déposer sur des feuilles de laitue.

Saupoudrer de paprika.

Décorer d'olives farcies et de tomates.

Salade César (douce)

4 tranches de bacon
2 tranches de pain
2 onces d'huile d'olive
1 c. à table de beurre
5 gousses d'ail
1 c. à café de sel
Laitue romaine
Fromage Parmesan râpé

Cuire 4 tranches de bacon jusqu'à ce que bien croustillantes; les assécher sur du papier absorbant en laissant dans la poêle ¼ de la graisse de bacon.

Couper 2 tranches de pain en cubes de ½ pouce. Ajouter dans la poêle l'huile d'olive, le beurre et 3 gousses d'ail. Chauffer et faire brunir les croûtons, assécher aussi sur papier.

Frotter en les compressant 2 gousses d'ail aux parois du saladier dans lequel on dépose 1 c. à café de sel.

Déchirer la romaine avec les doigts et ajouter le bacon émietté; bien mêler. Ajouter la vinaigrette César (douce) (voir page 123); mêler.

Ajouter les croûtons, mêler et saupoudrer de fromage Parmesan râpé.

Ajouter au goût, fromage Feta, olives vertes, petites tomates.

Le mélange, pour être meilleur, devrait se faire 15 minutes avant d'être servi.

Salade chaton

1 cœur de chicorée frisée
1 grosse pomme
1 grosse betterave cuite
½ tasse de noix de Grenoble
2 pincées de cerfeuil
6 c. à table de vinaigrette

Effeuiller la salade.

Tailler les betteraves et les pommes en petites boules avec l'instrument pour faire les pommes de terre noisettes.

Mélanger la chicorée avec les noix et la vinaigrette.

Garnir avec les boules, quelques moitiés de noix et le cerfeuil.

Servir froid.

Salade d'avocat et de pamplemousse

1 pamplemousse
1 avocat
Vinaigrette

Peler le pamplemousse et l'avocat, enlever le noyau.

Couper en tranches fines et faire alterner les deux fruits sur une feuille de laitue.

Ajouter la vinaigrette.

Servir comme entrée.

Salade de carottes et de raisins

4 carottes (grosseur moyenne) râpées
1 tasse de raisins secs
1 tasse de pommes coupées en dés
1 c. à thé de jus de citron
Vinaigrette

Peler les carottes et les placer dans l'eau froide pour les rendre bien rigides; les essuyer et les râper en languettes très minces.

Ajouter le raisin sec puis les pommes préalablement mêlées au jus de citron.

Ajouter la vinaigrette.

Cette salade est meilleure quand macérée à l'avance dans la vinaigrette.

Salade d'oranges et concombre

3 oranges pelées, tranchées et dénoyautées
1 concombre moyen
1 oignon blanc, doux, en tranches minces
  et défait en anneaux
1 poivron vert vidé et tranché en anneaux
  minces
1 pomme de laitue
  Vinaigrette

Dans le bol à salade, déchiqueter la laitue et y faire alterner les tranches de fruits avec celles de légumes.

Arroser avec la vinaigrette et mélanger délicatement.

Salade de pamplemousses et de crevettes

2 pamplemousses
1 tasse de crevettes cuites
2 pommes
½ tasse de céleri
½ tasse de mayonnaise
2 c. à table de ketchup aux tomates ou de sauce chili

Séparer les pamplemousses en deux; les vider et couper la pulpe en morceaux en ôtant les peaux blanches.

Ajouter les crevettes cuites, les pommes coupées et le céleri.

Mélanger la mayonnaise avec le ketchup ou la sauce chili.

Remettre le mélange dans les moitiés de pamplemousses après avoir mélangé les ingrédients.

Garnir de persil frais haché.

Délicieuse entrée!

Pour 4 personnes.

Salade fantaisie (en forme de champignons)

6 œufs cuits durs
3 tomates mûres
1 boîte de sardines à l'huile sans peau ni arêtes
2 c. à table de beurre
2 c. à soupe de crème
2 c. à table de persil haché fin
Laitue iceberg ou laitue de Boston
Jus d'un citron
Un peu de mayonnaise si pas assez crémeux
Poivre du moulin, sel au goût

Couper les œufs par le bout; enlever le jaune en prenant soin de ne pas briser le blanc.

Faire une pâte avec le beurre, les jaunes, les assaisonnements et le persil haché.

Écraser les sardines égouttées et mêler avec la crème, le jus de citron et les assaisonnements.

Combiner les deux mélanges.

Remplir soigneusement les blancs d'œufs avec la farce et garder au frais.

Avant de servir, placer de belles feuilles de laitue dans chaque assiette.

Placer, debout sur les feuilles, un œuf farci.

Couper les tomates en deux sur la largeur et faire tenir une moitié renversée sur chaque œuf pour donner la ressemblance d'un champignon.

Râper finement les blancs d'œufs et en parsemer les tomates.

Ajouter une cuillère à table de mayonnaise sur le côté de la laitue, la soupoudrer de persil frais ou de ciboulette coupée fine.

Garnir d'asperges, de câpres ou d'olives. Pour 6 personnes.

Salade de fromage Cottage

2 concombres
1 botte de radis
3 échalotes ou ciboulette
1 poivron vert vidé et émincé
1 livre de fromage Cottage
Sel et poivre au goût

Combiner les concombres tranchés avec les radis hachés et le piment vert. Ajouter les échalotes ou de la ciboulette hachée fine.

Assaisonner au goût.

Ajouter le fromage Cottage.

Servir sur des feuilles de laitue.

Saupoudrer de paprika et garnir d'olives noires.

Salade de macaroni et d'endives

1 chopine d'eau
1 c. à thé de sel
1 gousse d'ail
½ oignon blanc
4 onces de macaroni en coudes non cuit ou 3 tasses de macaroni cuit
¼ tasse de vinaigrette aux tomates (commerciale)
1 tasse de crème sure (commerciale)
4 tranches minces de jambon coupé julienne
2 endives tranchées minces
1 tasse de céleri coupé en petits morceaux
1 échalote hachée fine
2 tomates en quartiers

Chauffer l'eau jusqu'à ébullition.

Ajouter le sel, l'ail, l'oignon et le macaroni.

Brasser avec une fourchette jusqu'à ce que le tout bouille assez vivement.

Cuire le macaroni de 12 à 15 minutes; égoutter.

Retirer et jeter l'ail et l'oignon. Combiner la vinaigrette et la crème sure et verser sur le macaroni chaud en brassant avec précaution.

Combiner les autres ingrédients dans un bol à salade et y ajouter le mélange de macaroni en mêlant avec précaution.

Servir immédiatement.

Salade de noix (I)

1 laitue de Boston
1 tomate coupée en petits morceaux
1 pomme de terre cuite à la vapeur et coupée en petits cubes
½ gousse d'ail écrasée
1 petite betterave rouge coupée en dés
10 noix en morceaux
Fines herbes

Combiner ces ingrédients et arroser de sauce.

Sauce:
½ tasse d'huile d'olive
¼ tasse de jus de citron
½ c. à thé de moutarde forte
Sel et poivre

Bien mélanger.

Salade de noix (II)

1 laitue bibb ou de Boston
Pacanes ou noix de Grenoble
Vinaigrette simple

Mélanger délicatement et garnir de noix en demies.

Les salades vertes

Salade d'été

1 pomme de laitue
1 concombre
1 tasse de céleri haché
2 échalotes
Tranches minces de piment vert
Tranches minces d'oignons blancs
Tranches minces de radis
Persil haché
Estragon

Laver et assécher la laitue.

Bien mêler les autres légumes et assaisonner d'une bonne vinaigrette au moment de servir.

Servir sur des feuilles de laitue; garnir de quartiers de tomates, d'olives noires et vertes.

Salade de pissenlits

2 tasses de feuilles de pissenlits lavées et séchées
1 tasse de pommes de terre cuites à l'eau et coupées en dés
½ tasse de radis tranchés minces
1 œuf cuit dur pour décorer

Mêler les feuilles de pissenlits, les pommes de terre et les radis.

Assaisonner de vinaigrette au citron et garnir avec l'œuf cuit dur coupé en tranches.

Salade du printemps

1 paquet de jeune laitue en feuilles
1 paquet de cresson
1 tasse de petites feuilles d'épinards
1 échalote hachée fine
1 petit concombre en tranches
Quelques radis tranchés minces
Estragon ou herbes à salades

Combiner et servir avec votre vinaigrette favorite bien assaisonnée.

Les salades à la viande

Salade à la russe

1 boîte de macédoine de légumes bien égouttée
1 c. à table d'oignon râpé
3 tranches minces de jambon
Mayonnaise
Sel et poivre

Ajouter l'oignon râpé à la macédoine égouttée.

Mélanger avec la mayonnaise.

Servir sur des feuilles de laitue; garnir de jambon coupé en fines lamelles.

Délicieux comme entrée!

Salade de lard

½ chou rouge râpé fin
3 pommes de terre (grosseur moyenne)
½ livre de lard salé gras
¼ tasse de vinaigre blanc
Poivre

Couper le lard en petits cubes. Poivrer et cuire à la poêle jusqu'à ce que bruns et croustillants.

Couper en dés les pommes de terre cuites et ajouter au chou rouge râpé; verser la graisse fondue sur ce mélange.

Déglacer la poêle avec le vinaigre et verser sur le mélange de pommes de terre et de chou.

Ajouter les cubes de lard cuit.

Assaisonner au goût.

Salade de poulet

2 tasses de poulet cuit
2 tasses de céleri
¾ tasse de mayonnaise
Estragon, câpres, cresson
Sel, poivre

La volaille doit être, de préférence, bouillie.

Couper le poulet en cubes ainsi que le céleri.

Mélanger avec la mayonnaise.

Pour allonger la salade, ajouter 1 tasse de pois verts fins bien égouttés.

Disposer sur feuilles de laitue.

Garnir de tranches d'œufs cuits durs, de tomates, d'olives, de câpres ou simplement de cresson.

Salade marinade

Jambon et dinde
« Relish » sucrée
Tomates
Laitue

Sur des feuilles de laitue, déposer de belles tranches de tomates, du jambon et de la dinde en julienne.

Garnir avec de la mayonnaise mélangée avec de la « relish ».

Saupoudrer de paprika.

Salade mexicaine

1 boîte de maïs en grains, égoutté
2 minces tranches de jambon cuit
1 poitrine de poulet cuit
8 tranches d'ananas en conserve

Couper le jambon et le poulet en dés ainsi que 4 des tranches d'ananas.

Bien égoutter le maïs.

Dans des bols à salade individuels, placer successivement le poulet, l'ananas, le maïs et le jambon.

Arroser avec la sauce au citron (voir page 119) sans mélanger.

Décorer avec l'ananas et servir bien frais.

Les salades japonaises de Yoko

Epinards avec sauce sésame

1 livre d'épinards
4 c. à table de sésame
1½ c. à table de sucre
4 c. à table de sauce soya
¼ c. à thé de gentamin soda (facultatif)

Réchauffer une casserole à feu bas; étendre le sésame également.

Quand les grains de sésame commencent doucement à sauter, donner un mouvement de va-et-vient à la poêle (même technique que pour le « pop corn »).

Aussitôt que les grains commencent à exhaler une odeur, les placer dans le bol pour les écraser jusqu'à ce que huileux et collants.

Ajouter le sucre, la sauce soya et le gentamin soda.

Bien mélanger.

Verser sur les épinards légèrement bouillis et égouttés. Mélanger.

Laisser refroidir et servir.

Pour 4 personnes.

Cette sauce peut aussi se servir sur concombres, chou, haricots à la française et pois verts.

Salade japonaise de poulet

Pour cette salade, l'assaisonnement de vinaigrette est fait avec des ingrédients de soupe japonaise.

½ livre de blanc de poulet
1 c. à table de sake ou de vin de riz
5 Okura
1 tasse de pois verts en conserve
½ aubergine pelée
½ concombre pelé

Asperger le poulet avec le sake et un peu de sel; cuire bien couvert pour 10 à 20 minutes. Déchiqueter.

Plonger l'Okura dans un peu d'eau bouillante pour 5 secondes, pas plus, et couper en tranches minces.

Égoutter les pois en conserve.

Masser l'aubergine avec les mains passées dans le sel. Couper les bouts durs et couper en très petits cubes. Garder quelques minutes dans l'eau froide avec le concombre.

Faire de même avec le concombre.

Au moment de servir, verser la vinaigrette sur la salade.

Mélanger avec délicatesse.

Vinaigrette:
2 c. à table de sauce Soya
½ c. à table de sucre
1 c. à table de vinaigre blanc
3 c. à table d'huile à salade
½ tasse d'ingrédients à soupe japonaise ou de l'eau
Sel

Combiner tous les ingrédients de la vinaigrette.

Quand vous vous servez d'ingrédients à soupe, les ajouter froids, peu à la fois. Pour 4 personnes.

Salade verte japonaise

Cette salade est très populaire au Japon.

2 feuilles de chou vert
2 feuilles de chou rouge
4 feuilles de laitue
1 carotte
½ concombre pelé
3 c. à table de sésame pour garnir

Mêler le chou râpé avec les autres légumes.

Ajouter la vinaigrette (voir page 124).

Servir sur des feuilles de laitue.

Garnir de grains de sésame.

Pour 4 personnes.

Les sauces

Les mayonnaises
Les sauces
Les vinaigrettes

Ailloli ou mayonnaise à l'ail

2 c. à thé de vinaigre de vin
¼ c. à thé de moutarde sèche
½ c. à thé de sel
1 tasse d'huile
1 œuf
1 gousse d'ail écrasée au pressoir

Tous les ingrédients doivent être à la température de la pièce.

Prévoir deux œufs si la mayonnaise ne prenait pas la consistance voulue.

Combiner le vinaigre, la moutarde, le sel, l'huile et l'ail dans un petit bol profond et mélanger avec le batteur électrique en ajoutant l'œuf en dernier.

Délicieux avec les salades aux légumes, fonds d'artichauts ou poireaux.

Mayonnaise

1 c. à thé de sel
½ c. à thé de moutarde sèche
½ c. à thé de sucre
1 jaune d'œuf
1 c. à soupe de vinaigre
¾ tasse d'huile d'olive
1 c. à soupe de jus de citron
⅛ c. à thé de poivre

Frotter le bol avec de l'ail; en brassant, ajouter l'huile goutte à goutte aux premiers ingrédients.

Si la mayonnaise est trop épaisse, ajouter du jus de citron.

Sauce au citron

¼ tasse d'huile d'olive
1 citron en jus
Sel et poivre

Bien mélanger.

Sauce garniture pour salade de fruits

½ tasse de mayonnaise
1 tasse de crème fouettée
Un peu de sucre, de miel ou de jus de cerises rouges en pot.

Brasser la crème.

Mélanger à la mayonnaise et ajouter sucre ou miel au goût.

Déposer une bonne cuillerée sur la salade de fruits sans mêler.

Sauce hollandaise

4 jaune d'œufs
2 c. à table de beurre fondu
½ citron en jus
Sel et poivre

Battre les jaunes d'œufs.

Ajouter lentement le beurre fondu refroidi et le jus de citron.

Sauce japonaise au sésame

½ tasse de sésame blanc
3 c. à table de sucre
½ tasse de sauce soya
½ tasse d'eau

Faire chauffer le sésame.

Si le sésame cuit trop, il faut le jeter. Moudre ou broyer jusqu'à ce que huileux et collant.

Ajouter le sucre, le soya et l'eau par petites quantités.

Sauce pour salade de fruits (I)

⅓ tasse de jus d'orange ou d'ananas
1 c. à soupe de jus de citron
2 jaunes d'œufs légèrement battus
¼ tasse de sucre
1 tasse de crème à fouetter

Mélanger le jus, ajouter les jaunes et le sucre.

Cuire 2 à 3 minutes au bain-marie.

Refroidir et ajouter la crème fouettée et une pincée de sel.

Sauce pour salade de fruits (II)

4 c. à table de crème
½ c. à thé de jus de citron
1 tasse de mayonnaise

Bien mélanger.

Sauce pour salade de riz

1 avocat
1 gousse d'ail
1 jus de citron
6 c. à table d'huile
¼ c. à thé de Tabasco

Eplucher l'avocat et en passer la chair au mélangeur (« blender »).

Ajouter l'ail écrasé puis le jus de citron, l'huile et le tabasco.

Saler et poivrer avec le moulin.

Vinaigrette

½ tasse d'huile d'olive ou autre
1 c. à thé de sel
¼ c. à thé de poivre ou paprika
¼ tasse de vinaigre ou jus de citron ou moitié l'un, moitié l'autre
½ c. à thé de sucre
2 gousses d'ail pelées, coupées en deux

Pour varier, 1 c. à thé de poudre de cari ou de moutarde sèche, ou remplacer l'ail par de l'échalote ou du persil haché.

Verser ces ingrédients dans une bouteille ou un pot bien fermé.

Garder dans un endroit frais, non pas dans le réfrigérateur, car elle serait figée au moment de la servir.

Agiter vigoureusement avant de servir.

Vinaigrette au Roquefort

1 tasse d'huile à salade, légère
3 c. à table de vinaigre de cidre
1 c. à thé de sel
⅓ c. à thé de paprika
1 c. à thé de jus de citron frais
½ tasse de fromage Roquefort émietté
Poivre frais moulu
Quelques gouttes de Tabasco

Combiner tous les ingrédients, excepté le fromage, et bien brasser.

Ajouter graduellement le fromage au mélange de vinaigrette jusqu'à ce que le mélange soit lisse.

Agiter vigoureusement avant de servir.

Vinaigrette César

¼ c. à thé de moutarde sèche
¼ c. à thé de poivre noir
½ tasse de Parmesan râpé
6 c. à table d'huile d'olive
2 citrons en jus
2 œufs cuits 1 minute (cuddled)

Bien mélanger.

Vinaigrette César (douce)

1 œuf de grosseur moyenne cuit (pas plus d'une minute de cuisson)
4 onces d'huile légère
½ c. à thé de sel
¼ c. à thé de poivre
Jus de citron

Préparer la vinaigrette dans un bocal avec couvercle.

Bien brasser le tout dans le bocal.

Servir avec salade César douce.

Vinaigrette des Mille-Iles

½ tasse d'huile d'olive légère
½ orange en jus
½ citron en jus
1 c. à thé de sel
¼ c. à thé de paprika
1 c. à thé d'oignon râpé très fin
1 c. à soupe de persil haché
3 olives farcies coupées en tranches fines
1 c. à thé de sauce Worcestershire
¼ c. à thé de moutarde sèche

Mélanger les ingrédients et garder au frais.

Agiter vigoureusement avant de servir.

Vinaigrette japonaise

3 c. à table de sauce soya
3 c. à table de vinaigre blanc
1 c. à table d'huile à salade
2 c. à table de jus de citron
1 c. à thé de glutamin soda

Combiner tous les ingrédients de la vinaigrette, excepté l'huile.

Au moment de servir, ajouter l'huile à la vinaigrette.

Vinaigrette pour mélange de fruits et de légumes

6 c. à table d'huile d'olive
2 c. à table de vinaigre
1 c. à thé de moutarde préparée
2 c. à soupe de crème épaisse
Sel et poivre au goût

Bien mélanger.

Vinaigrette pour salade de chou

3 c. à table de sucre
½ c. à thé de moutarde sèche
¼ tasse de vinaigre
¼ tasse de jus d'ananas
2 c. à table d'huile d'olive

Bien mélanger.

Table des matières